THE LAND OF SONG

Gwlad y Gân
The Land of Song

Trefnwyd gan / *Arranged by*

DYFED WYN EDWARDS

CYHOEDDIADAU CURIAD

Ffotograffau: Bwrdd Croeso Cymru
Photographs: Wales Tourist Board
Clawr: Llynnoedd Mymbyr, Eryri
Cover: Mymbyr Lakes, Snowdonia

Argraffiad Cyntaf: Mai 1995
First Publication: May 1995
Ail-argraffiad: Tachwedd 1998
Reprinted: November 1998
ISBN: 1 897664 65 6
ISMN: M57010 298 3

CURIAD, Pen-y-Groes, Caernarfon, Gwynedd, Cymru/Wales LL54 6EY
☎   (01286) 882166
🗎   (01286) 882692
E-bost/E-mail: curiad@curiad.co.uk
Y We/Website: http://www.curiad.co.uk

RHAGAIR

Mae cenedl y Cymry ymysg y rhai hynaf yn Ewrop, ac mae ei hanes yn mynd yn ôl i amser yr hen Geltiaid. Mae ei gwreiddiau yn gorwedd yn nwfn yn ei gorffennol ar yr adeg roedd Cymru'n genedl rydd ac annibynnol gyda'i hiaith ei hunan, ei llenyddiaeth, ei chyfreithiau, ei chrefydd a'i harferion.

Adwaenir Cymru fel `Gwlad y Gân' yn aml, oherwydd hoffter y Cymry o ganu. Mae traddodiad cerddorol y genedl yn mynd yn ôl ganrifoedd - roedd canu gwaith y beirdd i gyfeiliant y delyn yn rhan bwysig o adloniant y llysoedd, er enghraifft.

Mae'r casgliad hwn o 12 cân yn ymgais i gyflwyno trawsdoriad o ganeuon sy'n adlewyrchu'r traddodiad yma, boed yn emynau, yn ganeuon gwerin neu'n anthemau. Mae'r trefniannau yn fwriadol syml er mwyn galluogi pawb i ganu ac i fwynhau peth o gyfoeth ein diwylliant.

FOREWORD

The Welsh nation is amongst the oldest in Europe and her history can be traced back to the time of the old Celts. Her roots lie deep in her past at a time when Wales was a free and independent nation with her own language, literature, laws, religion and customs.

Wales is frequently referred to as `The Land of Song' because of our fondness of singing. The Welsh musical tradition goes back centuries - singing the words of the poets to a harp accompaniment was an important part of court entertainment, for example.

This collection is an effort to present a cross-section of songs that reflect this tradition, be they hymns, folk songs or anthems. The arrangements have been kept as simple as possible in order to allow everybody to sing and enjoy part of our rich culture.

CYNNWYS *CONTENTS*

HEN WLAD FY NHADAU
THE LAND OF MY FATHERS

Geiriau Cymraeg: Evan James

Trefnwyd gan/ *Arranged by*

English Words: Dyfed Wyn Edwards

Dyfed Wyn Edwards

Yn urddasol/ *Majestically*

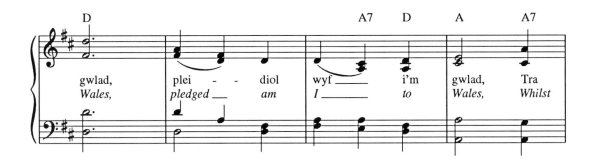

gwlad, plei - - diol wyf _____ i'm gwlad, Tra
Wales, *pledged ___ am* *I _____ to* *Wales,* *Whilst*

môr yn _____ fur i'r bur hoff ___ bau, O!
seas *surr - ound* *this* *land* *so _____ proud,* *O*

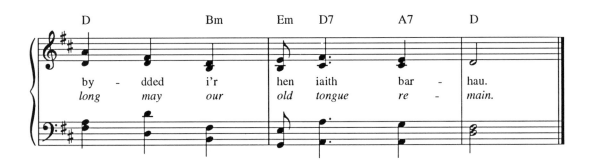

by - dded i'r hen iaith bar - hau.
long *may* *our* *old* *tongue* *re - main.*

Mae 'Hen Wlad fy Nhadau' yn
cael ei chydnabod ymysg y
goreuon o anthemau
cenedlaethol. Fe'i
hysgrifennwyd gan Evan James
o Bontypridd, gyda'i fab, James,
yn cyfansoddi'r gerddoriaeth.
Fe'i cyhoeddwyd gyntaf yn
1860.

'The Land of my Fathers' is
certainly a stirring anthem,
considered by many to be amongst
the finest of national anthems. It
was written by Evan James of
Pontypridd, with his son, James,
composing the music. It was first
published in 1860.

LLONGAU CAERNARFON
SHIPS OF CAERNARFON

Geiriau Cymraeg: J. Glyn Davies

English Words: *John Stoddart*

Trefnwyd gan/*Arranged by*
Dyfed Wyn Edwards

Yn araf/ *Slowly*

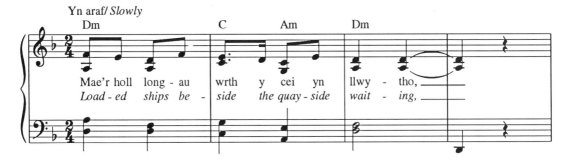

Mae'r holl long - au wrth y cei yn llwy - tho,
Load - ed ships be - side the quay - side wait - ing,

Pam na cha i fynd fel pawb i for - io?
Why, oh why, can I not go a - sail - ing?

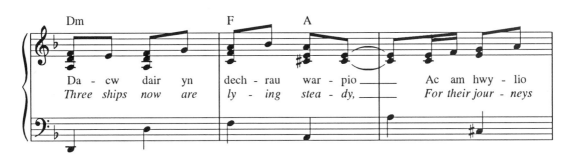

Da - cw dair yn dech - rau war - pio Ac am hwy - lio
Three ships now are ly - ing stea - dy, For their jour - neys

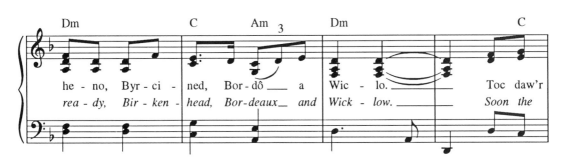

he - no, Byr - ci - ned, Bor - dô a Wic - lo. Toc daw'r
rea - dy, Bir - ken - head, Bor - deaux and Wick - low. Soon the

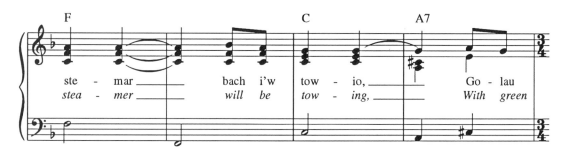

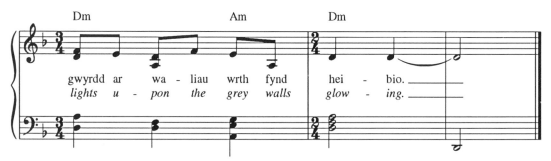

2 Pedair llong wrth angor yn yr afon,
  Aros teit i fynd tan gastell C'narfon,
  Dacw bedwar golau melyn
  A rhyw gwch ar gychwyn,
  Clywed sŵn y rhwyfau wedyn.
  Toc daw'r stemar bach i dowio,
  Golau coch ar waliau wrth fynd heibio.

3 Llongau'n hwylio draw a llongau'n canlyn,
  Heddiw, fory ac yfory wedyn.
  Mynd â'u llwyth o lechi gleision
  Dan eu hwyliau gwynion,
  Rhai i Ffrainc a rhai i Werddon.
  O na chawn i fynd ar f'union
  Dros y môr a hwylio'n ôl i G'narfon.

4 Holaf ym mhob llong ar hyd yr harbwr,
  Oes 'na le i hogyn fynd yn llongwr?
  A chael splensio rhaff a rhiffio
  A chael dysgu llywio
  A chael mynd mewn cwch i sgwlio.
  O na chawn i fynd yn llongwr
  A'r holl longau'n llwytho yn yr harbwr.

2 Four ships in the river lie at anchor,
  Waiting for the tide to fill the harbour;
  Yellow lights in lanterns glisten
  While I stand and listen
  To the sound of rowlocks creaking;
  Soon the steamer will be towing,
  With red lights upon the grey walls glowing.

3 Ships are sailing, others soon will follow,
  Sailing forth, today, tonight, tomorrow;
  Ships their loads of blue slates bearing,
  Under white sails faring,
  Some to France and some to Erin,
  While I stay here sadly yearning
  In Caernarfon town for their returning.

4 I go asking round the ships in harbour,
  Will you take a young lad for a sailor?
  Climbing, splicing, rowing, towing,
  By the star's light steering,
  And with skill I'd soon be sculling.
  How I long to be a sailor
  Sailing bravely from Caernarfon harbour.

Un o ganeuon môr enwog J. Glyn Davies o'i gyfrol enwog *'Cerddi Huw Puw'* i alaw draddodiadol o Norwy. Bu Caernarfon yn borthladd pwysig iawn ar gyfer allforio llechi o chwareli cyfagos Arfon.

This is a popular song to a traditional Norwegian melody adopted by J. Glyn Davies to tell the tale of a boy who dreams of going to sea in one of the many boats in Caernarfon which carried slate from the nearby quarries.

Castell Caernarfon *Caernarfon Castle*

NANT Y MYNYDD
MOUNTAIN STREAMLET

Geiriau Cymraeg: Ceiriog

English Words: John Stoddart

Yn llyfn/ *Smoothly*

Trefnwyd gan/*Arranged by*

Dyfed Wyn Edwards

Nant y my - nydd, groy - w, loy - w, Yn ym - droe - lli tu - a'r pant, Rhwng y brwyn yn si - sial ga - nu, O, na bawn i fel y nant! O, na bawn i fel y nant!

Moun-tain stream - let, glo - wing, flo - wing, Through the vale with spark-ling gleam, Mid the rush - es gent - ly sing - ing, Would that I were like the stream! Would that I were like the stream!

2 Grug y mynydd yn eu blodau,
   Edrych arnynt hiraeth ddug
   Am gael aros yn y bryniau
   Yn yr awel efo'r grug.

3 Adar mân y mynydd uchel
   Godant yn yr awel iach,
   O'r naill drum i'r llall yn 'hedeg,
   O, na bawn fel deryn bach!

4 Mab y mynydd ydwyf innau
   Oddi cartref yn gwneud cân,
   Ond mae 'nghalon yn y mynydd
   Efo'r grug a'r adar mân!

Er mai alaw o'r Almaen yw hon,
yn perthyn i'r cyfansoddwr a'r
casglwr alawon gwerin,
Friedrich Silcher, mae cantorion
Cymru - yn enwedig corau
meibion - wedi'i mabwysiadu ers
blynyddoedd.

2 *Mountain birds in song uniting,*
   Sweeter song was never heard,
   There from crest to crest are flitting,
   Would I were a tiny bird!

3 *Mountain heather in full blossom*
   Brings a longing, sore and deep;
   Oh, to stay there on the mountain,
   By the breezes lulled to sleep!

4 *I, a mountain lad, am singing,*
   Far from home, these lonesome words,
   While my heart lies in the mountains
   With the heather and the birds!

Though this is originally a German
melody belonging to the composer
and folk song collector, Friedrich
Silcher, singers in Wales - male
voice choirs - in particular have
adopted the song for many years.

Llanberis, Eryri *Llanberis, Snowdonia*

Parc Treftadaeth Y Rhondda *Rhondda Heritage Park*

CWM RHONDDA

Geiriau Cymraeg: Ann Griffiths

English Words: Peter Williams, William Williams

Trefnwyd gan/*Arranged by*
Dyfed Wyn Edwards

2 Rhosyn Saron yw ei enw,
   Gwyn a gwridog, teg o bryd;
   Ar ddeng mil y mae'n rhagori
   O wrthrychau penna'r byd:
   Ffrind pechadur
   Dyma'r llywydd ar y môr.

3 Beth sydd imi mwy a wnelwyf
   Ag eilunod gwael y llawr?
   Tystio'r wyf nad yw eu cwmni
   I'w gystadlu â'm Iesu mawr:
   O! am aros
   Yn ei gariad ddyddiau f'oes

Dyma un o emynau mawr Cymru gan John Hughes, Llanilltud y Faerdre. Mae'r geiriau yma gan Ann Griffiths, Dolwar-Fach, un o emynwyr mawr y byd. Fe ysgrifennodd dros 70 pennill gyda'r cyfan yn adlewyrchu ei phrofiad ysbrydol personol. Clywir y dôn yn aml heddiw ar Barc yr Arfau, Caerdydd, mewn gêmau rygbi rhyngwladol.

2 *Open now the crystal fountain*
   Whence the healing streams do flow;
   Let the fiery cloudy pillar
   Lead me all my journey through:
   Strong Deliverer!
   Be thou still my strength and shield.

Here is one of Wales's best known hymns by John Hughes, Llanilltud y Faerdre. The Welsh words used here are by Ann Griffiths, Dolwar-Fach, one of the great hymn writers. She wrote over 70 verses, each of them reflecting her own personal spiritual experiences. Cwm Rhondda is frequently heard sung today at the Cardiff Arms Park during rugby internationals.

SOSBAN FACH
ONE SMALL PAN

Geiriau Cymraeg: Traddodiadol
English Words: John Stoddart

Trefnwyd gan/*Arranged by*
Dyfed Wyn Edwards

Yn fywiog/ *Lively*

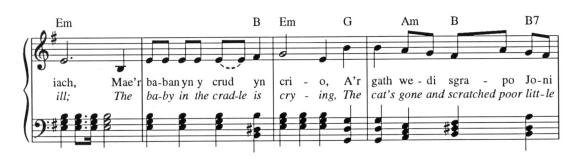

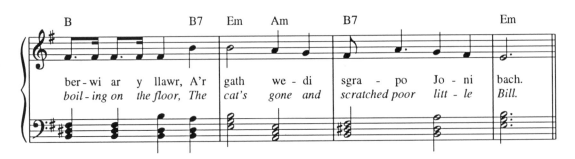

2 Mae bys Meri Ann wedi gwella,
  A Dafydd y gwas yn ei fedd;
  Mae'r baban yn y crud yn chwerthin,
  A'r gath wedi huno yn ei hedd.
  Sosban fach etc.

Cân a gysylltir yn draddodiadol
â Llanelli - tre'r sosban.
Mae'r gân yma gyda'r geiriau
disynnwyr wedi'i mabwysiadu fel
anthem rygbi gan glwb Llanelli.

2 Mary Anne's little finger is better,
  Poor Dave in his grave now lies deep;
  The baby in the cradle is silent
  The cat now in peace lies asleep.
  One small pan etc.

This song with its nonsense words
has been connected traditionally
with Llanelli and has been adopted
as a rugby anthem by Llanelli
supporters.

Parc yr Arfau, Caerdydd *Cardiff Arms Park*

MAE'R FLWYDDYN YN MARW
THE OLD YEAR IS DYING

Geiriau Cymraeg: Traddodiadol

English Words: Dyfed Wyn Edwards

Yn gymedrol/*At a moderate pace*

Trefnwyd gan/*Arranged by*
Dyfed Wyn Edwards

Mae'r flwy-ddyn yn ma-rw, ei ham-ser a ddaeth, O fil o gy-my-lau ei ham-do a wnaeth, Mae'r gwynt yn ga-la-ru, a'r glaw red yn rhwydd, A'r cly-chau yn te-wi, ffar-wél yr hen flwydd.

The old year is dy-ing, fast dy-ing a-way, A dull cloud-y sun-set has closed its last day, The night winds are sigh-ing, its last hour has fled, The bells have ceased ring-ing, the old year is dead.

2 Ond dyma flwydd newydd yn dyfod yn llon,
  A phawb fel ei gilydd, rônt groeso i hon.
  Mae'r ifanc a'r henwr yn ysgafn eu troed
  A'r clychau yn canu mor llon ag erioed.

3 Mae'r diog yn sefyll ond amser ni saif,
  Ei Hydref na'i Aeaf, ei Wanwyn na'i Haf,
  Cynyddu wna'r diwyd a'r gonest o hyd,
  O flwyddyn i flwyddyn, hyd ddiwedd y byd.

2 *A new year is coming to gladden the heart,*
  And like a bright sunrise new hope to impart,
  Let joy and affection pervade every home,
  While bells are now telling, the new year is come.

3 *While year after year is passing away,*
  May peace and contentment hold o'er ye their sway;
  That when days are dreary fond mem'ries may cheer,
  The good and truehearted each coming new year.

Mae gan Gymru lawer o ganeuon sy'n cyfeirio at ddyfodiad blwyddyn newydd a diwedd yr hen flwydd. Roedd cyfnod y Calan yn fwy arwyddocaol yng Nghymru na'r Nadolig ar un adeg. Mae'r gân hon yn y traddodiad yma, yn dathlu'r cyfle i anghofio am yr hen flwydd ac edrych ymlaen at y flwyddyn newydd.

Wales has many songs that refer to the dawning of a new year and the end of an old one. New Year was of much greater significance in Wales than Christmas at one time. 'The Old Year is Dying' is in this tradition, celebrating the opportunity to forget all that was bad in the past year and to look forward to good things in the coming New Year.

Castell Caerffili *Caerffili Castle*

MOLIANNWN
NOW LADS LET'S ALL REJOICE

Geiriau Cymraeg: Benjamin Thomas

English Words: Dyfed Wyn Edwards

Trefnwyd gan/*Arranged by*

Dyfed Wyn Edwards

Yn fywiog/*Joyfully*

Nawr lan-ciau rho-ddwn glod, Y mae'r gwan-wyn we-di dod, Y
Now lads, let's all dec - lare, Now that spring is in the air, The

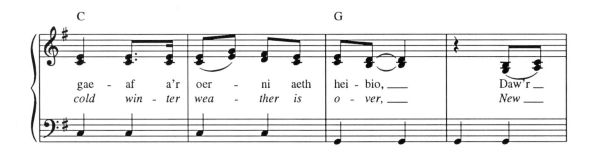

gae - af a'r oer - ni aeth hei - bio, ___ Daw'r ___
cold win - ter wea - ther is o - ver, ___ New ___

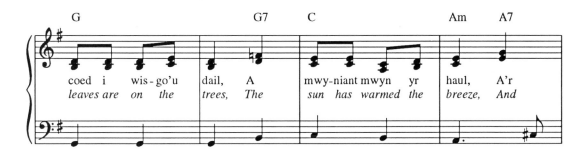

coed i wis-go'u dail, A mwy-niant mwyn yr haul, A'r
leaves are on the trees, The sun has warmed the breeze, And

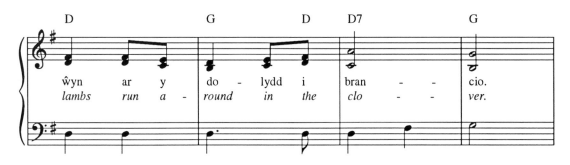

wŷn ar y do - lydd i bran - - cio.
lambs run a - round in the clo - - ver.

Cytgan/ *Chorus*

Mol - ian - nwn oll yn llon, Mae
Now lads let's all re - joice, *There's*

am - ser gwell i ddy - fod, Ha - le - liw - ia, Ac ar
bet - ter times a - head now, Ha - le - lu - jah, *Af - ter*

ôl y ty - wydd drwg, Fe wnawn a - rian fel y mwg, Mae ar -
all those skies so grey, We can now earn a good pay, There are

wy - ddion dy - mu - nol o'n blae - - nau.
signs that our fut - ure is bloom - - ing.

Ffw - dl - la Ffw - dl - la, Ffw - dl - la, la, la, la, la.
Ffw - dl - la Ffw - dl - la, Ffw - dl - la, la, la, la, la,

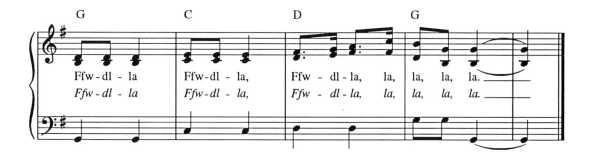

Ffw - dl - la   Ffw-dl - la,   Ffw - dl-la,   la,   la,   la,   la.

Ffw - dl - la   Ffw-dl - la,   Ffw - dl-la,   la,   la,   la,   la.

2 Daw'r Robin Goch yn llon
   I diwnio ar y fron,
   A Cheiliog y Rhedyn i ganu,
   A chawn glywed Whip-ar-Wîl,
   A'r llyffantod wrth y fil,
   O'r goedwig yn mwmian chwibanu.

   Cytgan: Moliannwn oll yn llon etc.

3 Fe awn i lawr i'r dre,
   Gwir ddedwydd fydd ein lle,
   A llawnder o ganu ac o ddawnsio,
   A chwmpeini naw neu ddeg
   O enethod glân a theg,
   Lle mae mwyniant y byd yn disgleirio.

   Cytgan: Moliannwn oll yn llon etc.

2 The Robin comes along
   To sing his merry song,
   'Tis Spring', the Grasshopper is proclaiming,
   We can hear the Whip-poor-will,
   And frogs down by the mill
   Their voices united in singing.

   Chorus: Now lads let's all rejoice etc.

3 We'll all go to the town
   As the sun starts going down,
   We'll join in the singing and the dancing,
   We'll grab a maiden fair
   And stroke her golden hair,
   Whilst reaping the pleasure of romancing.

   Chorus: Now lads let's all rejoice etc.

Dyma un o ganeuon adnabyddus
Bob Roberts, Tai'r Felin, Y Bala.
Ysgrifennwyd y geiriau gan un
arall o Benllyn, Benjamin Thomas,
ar dôn a glywodd pan oedd yn
ymweld â'r Unol Daleithiau.

*A rousing song made popular by Bob
Roberts, a native of Y Bala. The words were
written by another from the Penllyn area,
Benjamin Thomas, to a tune he heard whilst
visiting the United States.*

Bugail ar Fannau Brycheiniog *Shepherd on the Breacon Beacons*

MYFANWY
ARABELLA

Geiriau Cymraeg: Mynyddog

English Words: Cuhelyn

Gyda theimlad/*With feeling*

Trefnwyd gan/*Arranged by*

Dyfed Wyn Edwards

ffôl? Pa le mae sain dy ei - riau me - lys Fu'n
heart? *Why* *wilt* *be* *mute,* *oh,* *A* - *ra - bel - la;* *Speak,*

de - - nu 'ngha - lon ar dy ôl?
love, *once* *more* *be* - *fore* *we* *part.*

2 Pa beth a wneuthum, O! Myfanwy,
   I haeddu gwg dy ddwyrudd hardd?
   Ai chwarae roeddet, O! Myfanwy,
   Â thannau euraidd serch dy fardd?
   Wyt eiddo im trwy gywir amod,
   Ai gormod cadw'th air i mi?
   Ni fynnaf byth mo'th law, Myfanwy,
   Heb gael dy galon gyda hi.

3 Myfanwy, boed yr oll o'th fywyd
   Dan heulwen ddisglair canol dydd,
   A boed i rosyn gwridog iechyd
   I ddawnsio ganmlwydd ar dy rudd;
   Anghofia'r oll o'th addewidion,
   A wneist i rywun, eneth ddel,
   A dyro'th law, Myfanwy dirion,
   I ddim ond dweud y gair 'Ffarwél'.

2 What have I done, oh, cruel fair one,
   To merit o'en a frown from thee?
   Am I too fond, or art thou fickle?
   Or play'st thou but to humble me?
   Thou art my own by word and honour,
   And wilt thou not thy word fulfil?
   Thou need'st not frown, oh, Arabella,
   I would not have thee 'gainst thy will.

3 Full be thy heart with joy for ever,
   May time ne'er cypher on thy brow;
   Through life may beauty's rose and lily
   Dance on thy healthy cheeks as now;
   Forget thy broken vows, and never
   Allow thy wakeful conscience tell
   That thou didst e'er mislead or wrong me;
   Oh, Arabella, fare thee well.

Mae gwaith enwog Joseph Parry, 'Myfanwy', wedi cael ei gysylltu â chorau meibion Cymru ers blynyddoedd. Yn adrodd hanes cariad wedi'i wrthod, mae'r gân yn apelio at deimlad nid yn unig y Cymry, ond llawer o bobloedd y byd. Defnyddiwyd 'Myfanwy' fel thema'r gyfres deledu boblogaidd *Off to Philadelphia in the morning* gyda Chôr Meibion Treorci yn ei chanu.

'Myfanwy' - the great Joseph Parry composition - has been associated with Welsh male voice choirs for many years. Its tale of forlorn love seems to appeal to the sentiment of not only the Welsh, but to many other peoples also. 'Myfanwy' was used as the theme tune to the highly acclaimed television drama, Off to Philadelphia in the morning, *some years ago, when it was sung by the world - famous Treorchy Male Voice Choir.*

CYFRI'R GEIFR
COUNTING THE GOATS

Geiriau Cymraeg: Traddodiadol
English Words: Dyfed Wyn Edwards
Yn hwyliog/ *In a jovial manner*

Trefnwyd gan/*Arranged by*
Dyfed Wyn Edwards

2 Gafr ddu, ddu, ddu, etc.

3 Gafr binc, binc, binc, etc.

4 Gafr goch, goch, goch, etc.

Dyma un o nifer fawr o ganeuon geifr a gyhoeddwyd dros y blynyddoedd. Daw'r fersiwn yma o gasgliad enwog Dr J. Lloyd Williams a'i clywodd hi yn cael ei chanu gan W. Sylvanus Jones, Llanllyfni. Yng Ngogledd Orllewin Cymru cysylltir y math yma o ganu â chanu Gŵyl Fair a chanu ymryson.

2 A black, black goat, etc.

3 A pink, pink goat, etc.

4 A red, red goat, etc.

This is one of the many goat songs published over the years. This version comes from the famous collection of Dr J. Lloyd Williams who heard it sung by W. Sylvanus Jones, Llanllyfni. In North West Wales, this type of singing is connected with Candlemas celebration and competitive singing.

RACHIE

Geiriau Cymraeg: Henry Lloyd (ap Hefin)

English Words: John Stoddart

Yn urddasol/ *Majestically*

Trefnwyd gan/*Arranged by*

Dyfed Wyn Edwards

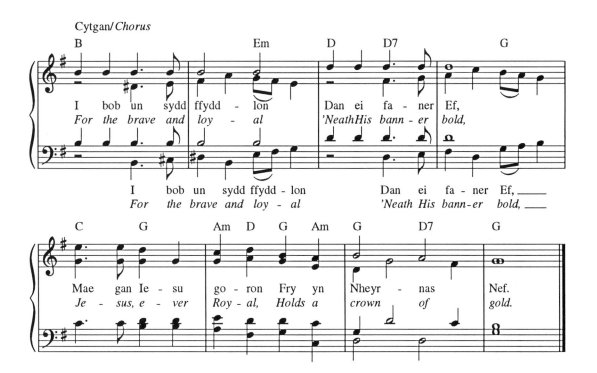

2 Medd-dod fel Goleiath
  Heria ddyn a Duw;
  Myrdd a myrdd garchara,
  Gan mor feiddgar yw;
  Brodyr a chwiorydd
  Sy'n ei gastell prudd;
  Rhaid yw chwalu'i geyrydd,
  Rhaid cael pawb yn rhydd.

3 Awn i gwrdd y gelyn,
  Bawb ag arfau glân;
  Uffern sydd i'n herbyn
  Â'i phicellau tân.
  Gwasgwn yn y rhengau,
  Ac edrychwn fry;
  Concrwr byd ac angau
  Acw sydd o'n tu!

Ysgrifennwyd y dôn yma gan
Caradog Roberts, cerddor
o bentref enwog
Rhosllannerchrugog, Clwyd, i
eiriau Henry Lloyd (ap Hefin).
Mae 'Rachie' ymysg y mwyaf
poblogaidd o emyn-donau Cymru.

2 *Vice, the cunning demon,*
  Madly rants and raves;
  People by the million
  Have become his slaves.
  Families lie helpless
  In his woeful hall;
  We must wreck his fortress,
  We must free them all.

3 *Forward we are marching*
  Bravely in God's name;
  See Hell's hordes approaching
  With their spears of flame!
  Our ranks never falter,
  Stretched out deep and wide,
  With the Mighty Victor,
  Jesus, on our side.

This hymn tune was composed by
Caradog Roberts, a musician
from the famous village of
Rhosllannerchrugog, Clwyd, to the
words by Henry Lloyd (ap Hefin).
'Rachie' is amongst the most
popular of Welsh hymn tunes.

CALON LÂN
OH, PURE HEART

Geiriau Cymraeg: Daniel James

English Words: John Stoddart

Trefnwyd gan/*Arranged by*

Dyfed Wyn Edwards

Yn llon/*Joyfully*

2 Pe dymunwn olud bydol,
  Adain fuan ganddo sydd:
  Golud calon lân rinweddol
  Yn dwyn bythol elw fydd.

3 Hwyr a bore fy nymuniad
  Gwyd i'r nef ar adain cân
  Ar i Dduw, er mwyn fy Ngheidwad,
  Roddi imi galon lân.

Ymysg y mwyaf poblogaidd o
emynau Cymru, ysgrifennwyd y
dôn gan John Hughes, Glandŵr,
gyda'r geiriau gan Daniel James
(Gwyrosydd). Paratowyd y
cyfieithiad Saesneg gan John
Stoddart yn arbennig ar gyfer y
casgliad hwn.

2 *Should I cherish earthly treasure,*
  It would fly on speedy wings;
  The pure heart a plenteous measure
  Of true pleasure daily brings.

3 *Eve and morn my prayers ascending*
  To God's heav'n on wings of song
  Seek the joy that knows no ending,
  The pure heart that knows no wrong.

Amongst the most popular of Welsh
hymns, the music was composed by
John Hughes, Glandŵr, with the
words by Daniel James
(Gwyrosydd). The English
translation by John Stoddart was
written especially for this collection.

SI HEI LWLI 'MABI
HUSH MY LITTLE DARLING

Geiriau Cymraeg: Traddodiadol

Trefnwyd gan/ *Arranged by*

English Words: Dyfed Wyn Edwards

Dyfed Wyn Edwards

Yn dawel/ *Quietly*

2 Si hei lwli mabi,
  Y gwynt o'r dwyrain chwyth,
  Si hei lwli mabi,
  Mae'r wylan ar y nyth;
  Si hei lwli lwli lws,
  Cysga di fy mabi tlws,
  Si hei lwli mabi,
  Y gwynt o'r dwyrain chwyth.

2 *Hush my little darling,*
  No harm will come to you,
  Hush my little darling,
  Your mother's heart is true;
  Hear the night wind's gentle cry,
  Sing its soothing lullaby,
  Hush my little darling,
  No harm will come to you.

Fel sy'n wir am lawer o ddiwylliannau eraill, mae gan Gymru gyfoeth o hwiangerddi fel rhan o'i thraddodiad cerddorol. Mae'r hwiangerdd dlos hon yn dangos peth o ddylanwad y môr. Mae'n debyg y byddai mamau Cymru wedi canu'r gân yma i'w plant dros 200 mlynedd yn ôl.

As with many different cultures, Wales has a rich array of lullabies as part of its musical tradition. This traditional lullaby is particularly beautiful, influenced by thoughts of the sea. It would have been sung by Welsh mothers to their children some 200 years ago.